À Sophie, François et Élisabeth,
qui ont reçu beaucoup d'amour

Andrée-Anne

À mes affreux parents,
qui m'ont toujours encouragée à dessiner

Catherine

Arthur est un petit lapin comme les autres.
Il a de longues oreilles, il vit dans un terrier
avec ses parents et il raffole des carottes.
Oui, Arthur est un lapin comme les autres.
Sauf que...

Les affreux parents

d'Arthur

Texte : Andrée-Anne Gratton

Illustrations : Catherine Lepage

Les petits albums   Les 400 coups

Nous remercions le Conseil des
Arts du Canada de l'aide accordée
à notre programme de publication
et la SODEC pour son appui
financier en vertu du Programme
d'aide aux entreprises du livre et
de l'édition spécialisée.

Nous reconnaissons l'aide financière
du gouvernement du Canada par
l'entremise du Programme d'aide
au développement de l'industrie de
l'édition (PADIÉ) pour nos activités
d'édition.

Les affreux parents d'Arthur
a été publié sous la direction
de Paule Brière.

Design graphique : Andrée Lauzon
Révision : Marie-Josée Brière
Correction : Micheline Dussault

Diffusion au Canada
Diffusion Dimedia inc.
539, boulevard Lebeau
Saint-Laurent (Québec)
H4N 1S2

Diffusion en Europe
Le Seuil

© 2004 Andrée-Anne Gratton,
Catherine Lepage et les éditions
Les 400 coups, Montréal (Canada)

Dépôt légal – 3e trimestre 2004
Bibliothèque nationale du Québec
Bibliothèque nationale du Canada

ISBN 2-89540-143-8

Les parents d'Arthur sont parfois très durs.

Si Arthur oublie sa trottinette dans l'entrée,
son père lui crie :
— Range-moi ce tas de ferraille, sinon je le
transformerai en luge pour les rats.

Alors Arthur s'empresse de plier sa trottinette
et de la placer à côté de sa collection de casquettes.

Si Arthur bouge trop la tête quand sa mère lui nettoie les oreilles, celle-ci éclate :
— Cesse de sautiller, sinon c'est l'aspirateur que j'utiliserai.

Alors Arthur reste immobile, les oreilles droites et le nez qui frémit.

Si Arthur laisse de la nourriture dans
son assiette, son père hurle :
— Mange tout ton repas, sinon tu seras
privé de dîner pendant un mois.

Alors, Arthur se bouche le nez et engloutit
son macaroni aux pétales de pissenlit.

Terribles, les parents d'Arthur…
Vraiment, vraiment terribles.

Si terribles qu'un beau jour, Arthur décide
d'imiter ses parents. S'il faut crier et menacer
pour obtenir ce qu'on veut, il en fera tout autant.

Quand sa mère lui annonce: « Arthur,
c'est le temps de prendre ton bain ! »
Arthur se fâche:
   — Si vous m'obligez à me laver, je me
ferai ami avec la mouffette d'à côté.

Quand son père l'appelle : « Arthur, viens
manger ton foin ! » Arthur le prévient :
— S'il n'y a pas de feuilles de carottes
dans le foin, je me laisserai mourir de faim.

Très vilain, le petit Arthur.
Vraiment, vraiment vilain.

Si vilain que ses parents ne savent plus
quoi inventer pour se faire écouter.

Un bon matin, la mère d'Arthur s'emporte:
— Si tu refuses de nous obéir, nous te
ferons manger du pâté aux queues
d'épinards et aux langues de fourmis
jusqu'à la fin de ta vie.

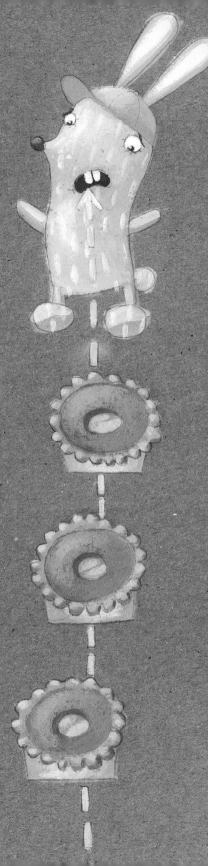

Arthur réplique :

— Si vous faites ça, je boucherai le trou
du terrier et vous ne pourrez plus y entrer.

Le père d'Arthur s'écrie :

— Avant que tu fasses une telle bêtise, je t'attacherai les pattes pour le reste de la journée.

Arthur fulmine :

— Je ne me laisserai pas faire, je me sauverai par les prés.

— Ah oui ? ragent les parents en chœur.
Hé bien, nous enverrons un renard à ta
poursuite et tu lui feras un bon dîner. Voilà !

Très sérieuses, ces menaces.
Vraiment, vraiment sérieuses.

Si sérieuses qu'Arthur commence à
avoir peur de recevoir un coup de patte
sur la tête. Pour laisser ses parents se
calmer, il part gambader dans le pré.
Arthur s'éloigne de plus en plus,
sans se soucier du danger.

La promenade du jeune lapin dure si longtemps
que, le soir venu, Arthur n'est toujours pas rentré.
Un peu inquiets, mais surtout fâchés, ses parents
partent à sa recherche.

— Comme punition, il devra éplucher les carottes tout l'été, déclare la mère d'Arthur.

— Et nous le ramènerons au terrier en lui pinçant le bout du nez, ajoute son père.

Mais le nez d'Arthur court déjà un grand danger.
Un renard roux s'est jeté sur lui et découvre
ses crocs en salivant.

Sous les pattes de son ennemi, le jeune lapin
appelle au secours :
— Maman, papa, si vous me sauvez la vie,
je deviendrai le fils le plus docile du pays !

Arrivant à toute allure, le père d'Arthur s'écrie :
— Tiens bon, mon petit ! Je te sauverai la vie,
que tu sois le plus gentil ou le plus têtu de tous
les lapins !

Les parents d'Arthur sautent sur le dos
du renard, le martèlent de coups de patte
et lui mordent sans relâche les oreilles.

Le renard sent qu'il va perdre la bataille.
Il lâche le pauvre Arthur et, en trois bonds,
il disparaît dans la nuit.

Les oreilles encore secouées, les trois lapins se frottent tendrement le bout du nez.

Arthur bredouille :
— Je voulais simplement gambader un peu dans le pré, mais j'ai rencontré le renard que vous avez lancé à mes trousses.

Sa mère le cajole :
— Voyons, Arthur, nous n'aurions jamais envoyé un renard à ta poursuite ! Nos paroles ont dépassé mille fois nos pensées.

Dans les yeux d'Arthur et ceux de ses parents, de grosses larmes d'amour effacent les mots durs du passé. Les trois lapins se jurent de ne plus jamais prononcer ces horribles menaces qui laissent le cœur brisé.

Depuis ce jour, la vie dans le terrier a bien changé.
Vraiment, vraiment changé.

Des idées tout en douceur ont remplacé les menaces et la peur :
— Mon petit Arthur, viens jouer à cache-cache sous les couvertures !
— Mon papa adoré, allons cueillir des pommes au verger !

Mais, parfois, le jeune lapin fait encore le coquin :
— Maman, papa, je vous préparerai un gâteau aux carottes et aux pois… mais seulement si vous êtes gentils avec moi !

Et parfois aussi, la maman ou le papa d'Arthur s'amuse à le taquiner :
— Mon lapin, si tu veux avoir plus de foin, faudra que tu me fasses…

... un gros câlin !

Fin